米奇拉 摩奇拉 咚咚！

〔日〕长谷川摄子 文　　〔日〕降矢奈奈 图　　李奕 译

一起玩的朋友，一个都不见了。

大家都去哪儿了？

南海出版公司

好不容易找到这儿，连个人影儿都没有。
小宽来了气，开始乱唱起来。
他扯开嗓门喊出一首自己瞎编的歌儿：

　　吃饱了　七饱了
　　阿平朵　的　金苹果
　　九啦呀　皮克塔克
　　米奇拉　摩奇拉　咚咚！

谁想到，忽然刮起了一阵大风，
紧接着，随风传过来一串奇怪的声音：

"好玩儿、好玩儿，真好玩！"
"哎哟哟，肚皮都快笑破啦。"
"来啊，来啊，到这边来唱！"

小宽竖起耳朵一听，那声音竟然是从树洞里传来的。
就在他刚一探头，往树洞里张望的时候——

"嗖"的一下，就被吸进树洞里去了。

他掉啊

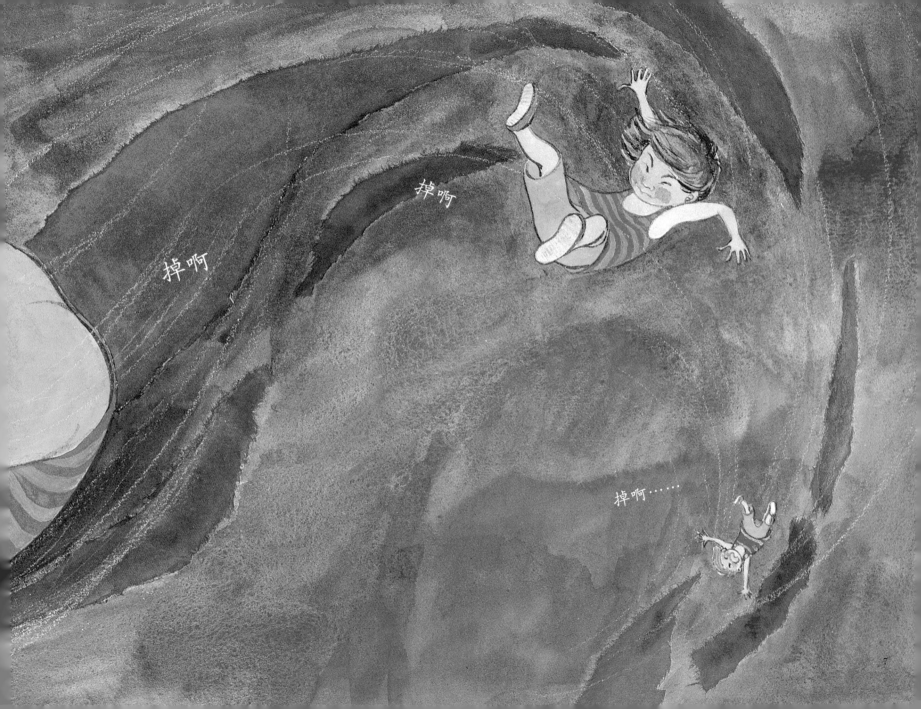

终于落了地，眼前竟然是一座夜色笼罩下的大山，
就在这时，远处忽忽悠悠飘来了三个怪模怪样的家伙。

那三个奇怪的家伙
刚一落地，
就向小宽扑了过来。

"哟嗬，一起玩吧。
我叫猛猛白虎。"

"哇，找到朋友啦！我叫西卡摩卡

"我叫藏宝大仙，咱们一起玩玩吧！"

"才不呢！我怎么能跟妖怪玩呢？"小宽大声嚷道。

三个怪物听了以后，立刻放声大哭起来：

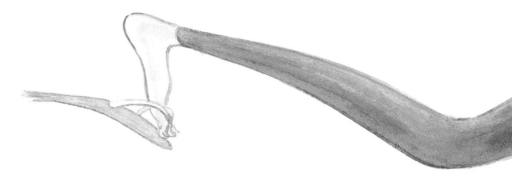

"哇——哇，我要一起玩。"

"呜——呜——呜……"

"一起玩，一起玩嘛。"

"烦死啦！
别哭啦，跟你们玩还不行嘛。"

可是三个家伙又吵了起来。

"先跟我玩，先跟我玩！"

"什么？该我！"

"不对，我才是第一个！"

三个怪物打成了一团。

"别打了，你们石头、剪子、布吧！" 小宽大声叫道。

这下他们松开手不打了，

"石头、剪子、布"地比画起来。

结果，第一个赢的是西卡摩卡。

他先在小宽的脖子上系了一块包袱皮。之后，两人从这边的树枝悠到那边的枝杈，玩起了"飞鼠荡悠悠"的游戏。

　　包袱皮呀呼啦啦，飞鼠荡悠悠。

　　头发头发飘呀飘，飞鼠荡悠悠。

　　真帅真帅飞得高，一起荡悠悠。

小宽不知道飞荡了多少个来回，全身都被汗水浸透了。

第二个轮到了藏宝大仙。

他上来就把宝珠撒了一地，然后招呼道：

"过来，过来，咱们玩交换宝贝的游戏吧。

只要你喜欢，想换哪个都可以。"

"拿啤酒盖王冠跟你换宝珠，行吗？"

"什么，啤酒国王的王冠？

能换来这样的宝贝，太难得啦。

真是太棒了！"

藏宝大仙脸上笑开了花。

作为交换，小宽得到了一个神奇的水晶球。

仔细往里一看，哇，能看到大海里的东西呢！

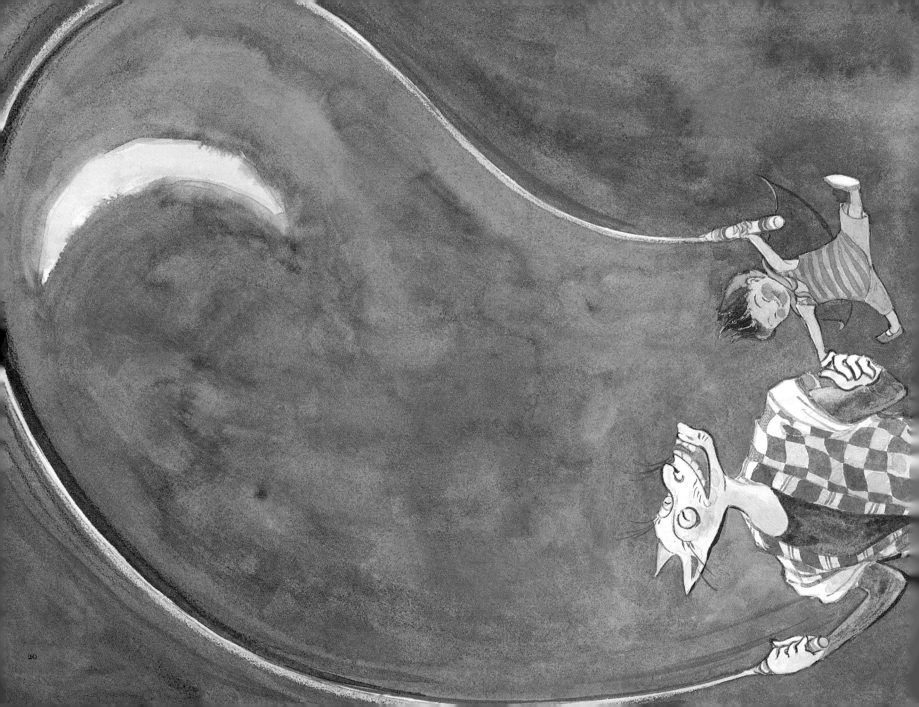

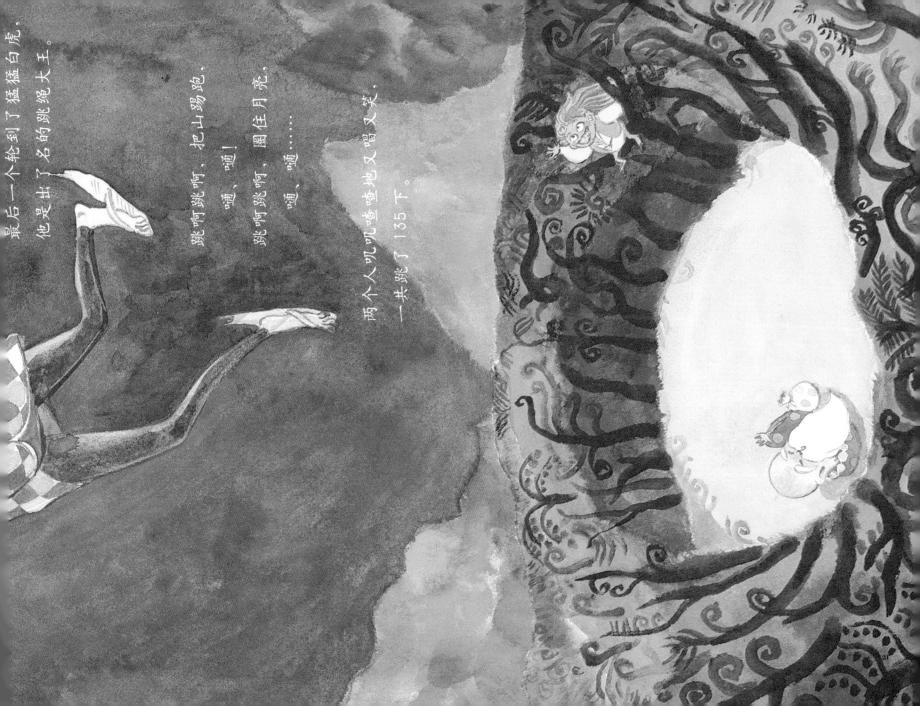

最后一个轮到了猛猛白虎，
他是出了名的跳绳大王。

跳啊跳啊，把山踢跑，
嗵、嗵！
跳啊跳啊，圈住月亮，
嗵、嗵……

两个人叽叽喳喳地又唱又笑，
一共跳了135下。

接着轮到大家一起玩了。

他们一块儿骑上了会飞的大木桩，唱起歌来：

认识新朋友，今晚真高兴。

我们是朋友，今晚真开心。

快来唱吧，快来唱！

    吃饱了　七饱了

    阿平朵　的　金苹果

    九啦呀　皮克塔克

    米奇拉　摩奇拉　咚咚！

痛痛快快地疯玩了一阵之后，
肚子都饿了。
正好发现了一棵年糕树，
大家开始吃了起来。
树上的年糕又软
又甜，好吃得舌
头都快化了。

三个怪物吃饱后呼呼大睡起来。

剩下小宽独自一人望着月亮出神。
望着望着，他突然觉得想妈妈了。

终于，小宽实在忍不住了，
冲着夜空大声喊起来："妈——"

就在这一刹那，三个怪物腾的一下跳了起来。

"不许喊！"

"你一喊……一喊那个就完了！"

三个怪物边嚷边慌忙扑向小宽，去捂住他的嘴。

可是，已经太晚了。

"妈——妈——"

小宽的声音刚一出口，阳光就刷的一下照了进来。

金色的光线打着漩涡把小宽卷了起来，

越卷越远……

"嗯……这是哪儿啊？" 小宽恍恍惚惚地站在那儿。

就在这时，他听见了妈妈的声音："小宽，吃饭喽！"

小宽拔腿朝家里跑去。

后来，小宽又去过好多次树洞。可是再也听不到那些声音了。

要是再唱出那首歌，也许还能见到那三个家伙。

可是小宽怎么也想不起来到底是怎么唱的。

——小朋友，如果是你，你能想得起来吗？

米奇拉 摩奇拉 咚咚!

〔日〕长谷川摄子 文 〔日〕降矢奈奈 图

李 奕 译

出　版　南海出版公司　(0898)66568511
　　　　海口市海秀中路51号星华大厦五楼　邮编 570206
发　行　新经典文化有限公司
　　　　电话(010)68423599　邮箱 editor@readinglife.com
经　销　新华书店

责任编辑　印姗姗
特邀编辑　安　宁
内文制作　李艳芝

印　刷　北京国彩印刷有限公司
开　本　780毫米×1092毫米　1/16
印　张　2.25
字　数　3千
版　次　2010年3月第1版
印　次　2010年6月第2次印刷
书　号　ISBN 978-7-5442-4622-4
定　价　12.00元

图书在版编目 (CIP) 数据

米奇拉 摩奇拉 咚咚!/〔日〕长谷川摄子编文;
〔日〕降矢奈奈绘图; 李奕译.－海口: 南海出版公司,
2010.1
　ISBN 978-7-5442-4622-4

Ⅰ.①米… Ⅱ.①长…②降… Ⅲ.①图画故
事－日本－现代　Ⅳ.① I313.85

中国版本图书馆 CIP 数据核字 (2009) 第 236809 号

著作权合同登记号　图字: 30－2009－235

MEKKIRA MOKKIRA DONDON (The Land of Playful Fellows)
Text © Setsuko Hasegawa 1985
Illustrations © Nana Furiya 1985
Originally published in Japan in 1985 by FUKUINKAN SHOTEN PUBLISHERS, INC..
Simplified Chinese translation rights arranged with FUKUINKAN SHOTEN
PUBLISHERS, INC., TOKYO.
through DAIKOUSHA INC., KAWAGOE.
All rights reserved.